Canfod ac Adnabod
IEIR BACH YR HAF

George E. Hyde
Dyluniwyd gan Joyce Bee
Addasiad Cymraeg gan Dafydd Dafis

Cynnwys

Cyfarwyddwr Golygu
Sue Jacquemier
Golygyddion
Su Swallow, Sue Tarsky
Cynllunydd
Sally Burrough
Darluniau ychwanegol gan
Christine Howes

Argraffwyd ym Mhrydain
Argraffwyd gyntaf yn 1978 gan Usborne Publishing Cyf., Usborne House, 83-85 Saffron Hill, Llundain EC1N 8RT, dan y teitl *Butterflies*
Testun a Gwaith Celf 1985, 1978 gan Usborne Publishing Cyf. (h)
Argraffiad Cymraeg cyntaf 1995

Cyhoeddwyd gan Wasg Gomer, Llandysul, Dyfed

Sut i Ddefnyddio'r Llyfr Hwn

Llyfr ar ganfod ac adnabod rhai o Ieir Bach yr Haf Prydain ac Ewrop yw hwn. Ewch ag ef gyda chi pan fyddwch yn mynd i'w gwylio.

Trefnir yr ieir bach yn ôl y teuluoedd y maent yn perthyn iddynt. Dangosir pob un â'i adenydd wedi agor ac wedi cau, gan fod y marciau ar yr ochr isaf yn aml yn wahanol i'r rhai ar yr ochr uchaf. Mae'r rhan fwyaf o ieir bach yn gorwedd â'u hadenydd wedi cau yn y nos ac ar ddyddiau cymylog, ac yn bwydo â'u hadenydd yn agored yn ystod y dydd.

Yn y llyfr, gwelir pob iâr fach ar un o'r planhigion y mae'n hoffi ymweld ag ef am ddiferyn i'w yfed. Ambell waith dangosir y lindysyn hefyd ar ei blanhigyn bwyd. Os yw gwryw a benyw o'r un math yn gwahaniaethu o ran maint a marciau, fe ddangosir y ddau ryw er mwyn i chi allu eu hadnabod. (Ystyr y symbol ♂ yw gwryw ac ystyr ♀ yw benyw.)

Wrth ochr pob llun ceir disgrifiad o'r iâr fach—sy'n sôn am farciau arbennig, ble mae'n byw, neu ba flodau mae'n hoffi ymweld â nhw. Nodir

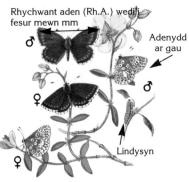

Rhychwant aden (Rh.A.) wedi'i fesur mewn mm

Adenydd ar gau

Lindysyn

hefyd rychwant yr aden (byrfodd: Rh.A.) ar gyfartaledd, wedi'i fesur ar draws y man lletaf. Lluniau maint bywyd o'r ieir bach a geir yn y llyfr, os na nodir yn wahanol.

Wrth ddarllen y disgrifiadau efallai y bydd yr wybodaeth ar dudalen 49 a'r eirfa ar dudalen 60 yn ddefnyddiol.

Taflen sgorio

Ger pob disgrifiad mae cylch bach gwag. Pan welwch yr iâr fach, rhowch dic yn y cylch. Mae'r daflen sgorio ar ddiwedd y llyfr yn rhoi sgôr am bob iâr fach a welwch. Ceir sgôr o 5 pwynt am iâr fach gyffredin, a 25 pwynt am un brin iawn. Cyfrwch eich sgôr ar ôl diwrnod o wylio.

Yr ardaloedd mae'r llyfr yn ymdrin â nhw

Mae'r lleoedd sy'n felyn ar y map yn dynodi'r gwledydd mae'r llyfr yn ymdrin â nhw, er na chynhwysir y cyfan o'r ieir bach sydd i'w cael yn y gwledydd hyn. Nid yw pob un ohonynt i'w cael ym Mhrydain, ac mae eraill yn brin iawn yma ond yn gyffredin mewn gwledydd Ewropeaidd eraill. Mewn achosion o'r fath, bydd y disgrifiad yn cynnwys y geiriau 'ni cheir ym Mhrydain' neu'n rhestru'r gwledydd lle y maent i'w cael.

Gwylio Ieir Bach yr Haf

Os ydych am ddal ieir bach i'w hastudio'n fanwl, mae'n rhaid wrth rwyd. Medrwch wneud un fel hon, neu brynu un.

I ddal iâr fach mewn rhwyd, rhaid dynesu ati'n dawel. Sylwch ar lle mae wedi setlo gan ddod â'r rhwyd drosti'n dyner a'i sgubo i'r ochr. Yna ffliciwch waelod y rhwyd dros y cylch metel i atal yr iâr fach rhag dianc.

Pan fydd iâr fach yn y rhwyd, rhowch geg jar wydr ar draws yr agoriad a gosod y caead arni. Defnyddiwch chwyddwydr i edrych ar yr antenae a'r cen ar yr adenydd.

Cadwch nodyn manwl o'r ieir bach a welwch. Er mwyn eu hadnabod, edrychwch ar y marciau ar bob ochr i'r adenydd ac ar siâp yr adenydd. Mae'n help hefyd os gellwch enwi'r planhigyn roedd yr iâr yn gorwedd arno.

Edrychwch am ieir bach yn y gwanwyn a'r haf. Amser da i'w gwylio yw yn yr hwyr pan fydd llawer ohonynt yn gorwedd ar weiriau.

Os daliwch iâr fach, cofiwch ei bod yn fregus iawn. Trafodwch hi'n ofalus a pheidiwch â chyffwrdd â'r adenydd. Wrth wneud hynny, byddwch yn rwbio'r cen i ffwrdd ac yn eu niweidio. Wedi i chi orffen edrych ar yr iâr fach yn y jar, rhyddhewch hi.

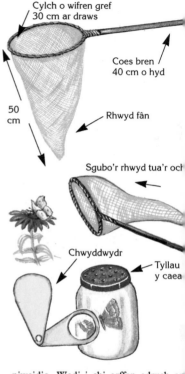

Cylch o wifren gref 30 cm ar draws

Coes bren 40 cm o hyd

Rhwyd fân

50 cm

Sgubo'r rhwyd tua'r ochr

Chwyddwydr

Tyllau y caead

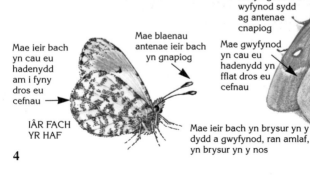

Mae ieir bach yn cau eu hadenydd am i fyny dros eu cefnau

Mae blaenau antenae ieir bach yn gnapiog

IÂR FACH YR HAF

Ychydig iawn o wyfynod sydd ag antenae cnapiog

Mae gwyfynod yn cau eu hadenydd yn fflat dros eu cefnau

GWYFYN

Mae ieir bach yn brysur yn y dydd a gwyfynod, ran amlaf, yn brysur yn y nos

4

Iâr Fawr America

Gelwir hefyd yn Chwinlaeth. Ymwelydd
prin o America a'r iâr fach fwyaf a welir
ym Mhrydain. Yn ymweld â'r fiaren,
creulys a blodau eraill.
Lleoedd agored.
Rh.A.
103-106 mm

Cyngaf
bychan

Iâr Fach y Fagwyr
Yn aml yn gorwedd ar furiau
a llwybrau. Hoff o dir garw,
agored a llennyrch.
Hedfan yn araf.
Lindysyn yn
bwyta gweiriau.
Rh.A. 44-46 mm

Lindysyn

Iâr Fawr y Fagwyr
Yn aml yn gorwedd ar
lwybrau caregog yn y
bryniau a'r
mynyddoedd.
Ni cheir ym
Mhrydain.
Rh.A. 50-56 mm

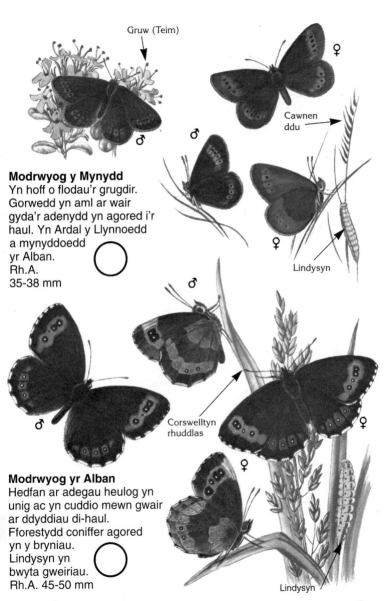

Gruw (Teim)

♀

♂

♂

Cawnen ddu

♀

Modrwyog y Mynydd
Yn hoff o flodau'r grugdir.
Gorwedd yn aml ar wair
gyda'r adenydd yn agored i'r
haul. Yn Ardal y Llynnoedd
a mynyddoedd
yr Alban.
Rh.A.
35-38 mm

Lindysyn

♂

♂

Corswelltyn
rhuddlas

♀

♀

Modrwyog yr Alban
Hedfan ar adegau heulog yn
unig ac yn cuddio mewn gwair
ar ddyddiau di-haul.
Fforestydd coniffer agored
yn y bryniau.
Lindysyn yn
bwyta gweiriau.
Rh.A. 45-50 mm

Lindysyn

Ffurf oren-frown
Ewropeaidd

Mwyaren ddu

Brych y Coed
Yn hoff o flodau'r fiaren.
Yn aml yn gorwedd ar
ddail wedi'u brychu gan
haul mewn coedwigoedd
a fforestydd. Lindysyn yn
bwyta gweiriau.
Rh.A.
47-50 mm

Gwrmyn Arran
Gall ymweld â blodau ond
yn gorwedd ran amlaf ar
weiriau. Porfeydd agored,
ger coedwigoedd neu
fforestydd. Ni
cheir ym
Mhrydain.
Rh.A. 48-54 mm

8

Iâr Fach y Graig
Gall ymweld â'r clafrllys a
blodau eraill, ond fel arfer
yn gorwedd ar y llawr â'r
adenydd wedi cau.
Mannau tywodlyd
a rhosydd
calchog.
Rh.A. 56-61 mm

Maglys
rhuddlas

Iâr Fawr y Graig
Yn hoff o'r maglys rhuddlas
a blodau eraill, ond fel arfer
yn gorwedd ar y llawr â'r
adenydd wedi cau.
Coedwigoedd
agored. Ni cheir
ym Mhrydain.
Rh.A. 66-72 mm

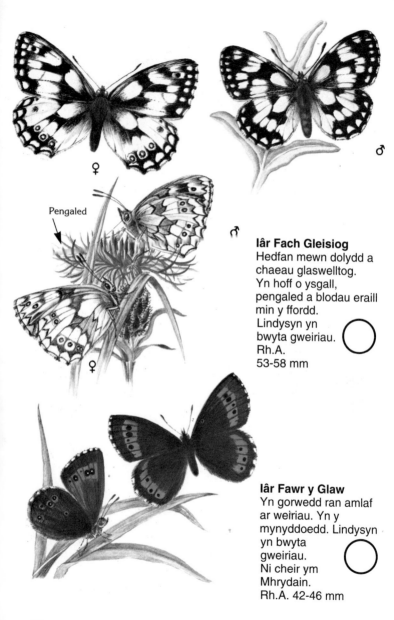

♀

♂

Pengaled

♂

♀

Iâr Fach Gleisiog
Hedfan mewn dolydd a
chaeau glaswelltog.
Yn hoff o ysgall,
pengaled a blodau eraill
min y ffordd.
Lindysyn yn
bwyta gweiriau.
Rh.A.
53-58 mm

Iâr Fawr y Glaw
Yn gorwedd ran amlaf
ar weiriau. Yn y
mynyddoedd. Lindysyn
yn bwyta
gweiriau.
Ni cheir ym
Mhrydain.
Rh.A. 42-46 mm

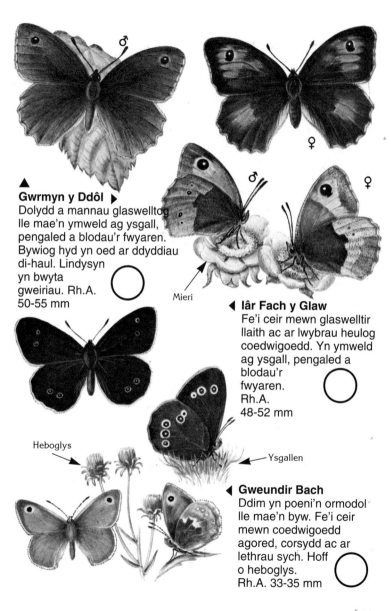

Gwrmyn y Ddôl ▶
Dolydd a mannau glaswelltog
lle mae'n ymweld ag ysgall,
pengaled a blodau'r fwyaren.
Bywiog hyd yn oed ar ddyddiau
di-haul. Lindysyn
yn bwyta
gweiriau. Rh.A.
50-55 mm

Mieri

◀ Iâr Fach y Glaw
Fe'i ceir mewn glaswelltir
llaith ac ar lwybrau heulog
coedwigoedd. Yn ymweld
ag ysgall, pengaled a
blodau'r
fwyaren.
Rh.A.
48-52 mm

Heboglys

Ysgallen

◀ Gweundir Bach
Ddim yn poeni'n ormodol
lle mae'n byw. Fe'i ceir mewn
coedwigoedd
agored, corsydd ac ar
lethrau sych. Hoff
o heboglys.
Rh.A. 33-35 mm

11

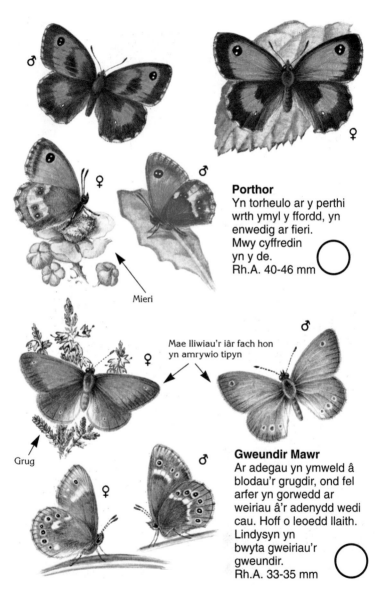

♂

♀

Porthor
Yn torheulo ar y perthi
wrth ymyl y ffordd, yn
enwedig ar fieri.
Mwy cyffredin
yn y de.
Rh.A. 40-46 mm

♀

♂

Mieri

Mae lliwiau'r iâr fach hon
yn amrywio tipyn

♀

♂

Grug

♀

♂

Gweundir Mawr
Ar adegau yn ymweld â
blodau'r grugdir, ond fel
arfer yn gorwedd ar
weiriau â'r adenydd wedi
cau. Hoff o leoedd llaith.
Lindysyn yn
bwyta gweiriau'r
gweundir.
Rh.A. 33-35 mm

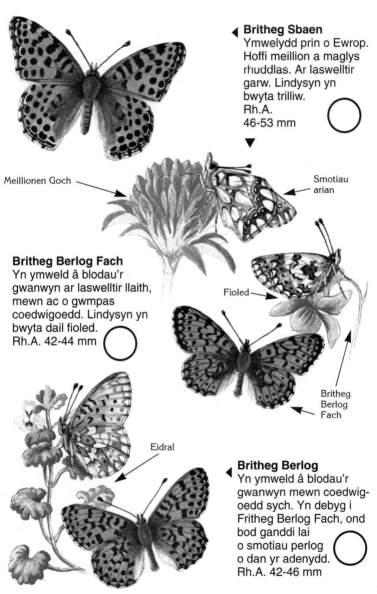

Britheg Sbaen
Ymwelydd prin o Ewrop.
Hoffi meillion a maglys
rhuddlas. Ar laswelltir
garw. Lindysyn yn
bwyta trilliw.
Rh.A.
46-53 mm

Meillionen Goch

Smotiau
arian

Britheg Berlog Fach
Yn ymweld â blodau'r
gwanwyn ar laswelltir llaith,
mewn ac o gwmpas
coedwigoedd. Lindysyn yn
bwyta dail fioled.
Rh.A. 42-44 mm

Fioled

Britheg
Berlog
Fach

Eidral

Britheg Berlog
Yn ymweld â blodau'r
gwanwyn mewn coedwig-
oedd sych. Yn debyg i
Fritheg Berlog Fach, ond
bod ganddi lai
o smotiau perlog
o dan yr adenydd.
Rh.A. 42-46 mm

13

Mae'r ieir bach ar y dudalen hon yn llai
nag ydynt mewn gwirionedd

▲
Britheg Werdd ▶
Yn hoff o flodau'r ysgallen
a'r fwyaren. Glaswelltir
agored ger coedwigoedd, a
thir uchel garw.
Hedfan yn
gyflym.
Rh.A. 63-70 mm

Ysgallen ◀

Rhedyn

Ffurf fenywaidd
dywyll

Fioled ◀

▲ **Britheg Arian**
Yn hoff o flodau mieri. ▶
Yn gorwedd ar redyn â'r
adenydd yn agored.
Coedwigoedd yn
ne Cymru.
Hedfanwr cryf.
Rh.A. 72-76 mm

Mieri

14

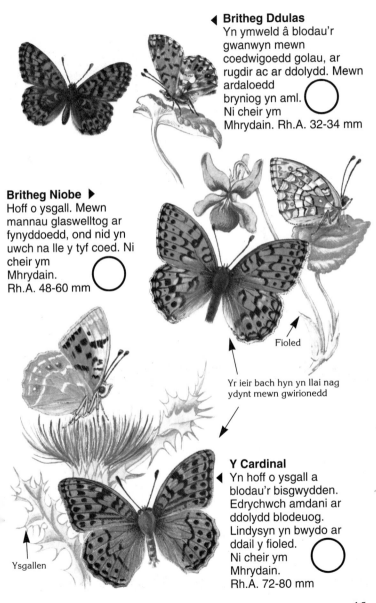

Britheg Ddulas

Yn ymweld â blodau'r gwanwyn mewn coedwigoedd golau, ar rugdir ac ar ddolydd. Mewn ardaloedd bryniog yn aml. Ni cheir ym Mhrydain. Rh.A. 32-34 mm

Britheg Niobe ▶

Hoff o ysgall. Mewn mannau glaswelltog ar fynyddoedd, ond nid yn uwch na lle y tyf coed. Ni cheir ym Mhrydain. Rh.A. 48-60 mm

Fioled

Yr ieir bach hyn yn llai nag ydynt mewn gwirionedd

Y Cardinal

Yn hoff o ysgall a blodau'r bisgwydden. Edrychwch amdani ar ddolydd blodeuog. Lindysyn yn bwydo ar ddail y fioled. Ni cheir ym Mhrydain. Rh.A. 72-80 mm

Ysgallen

Britheg y Waun ▶

Dim ond i'w chanfod mewn coedwigoedd lle mae'r gliniogai yn tyfu. Gall ymweld hefyd â blodau'r llwynhidydd. De Prydain, ond yn brin. Bwyteir y lindys gan ffesantod.
Rh.A. 40-44 mm

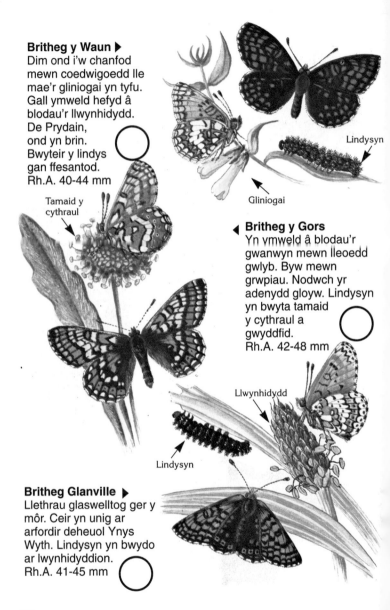

Lindysyn

Gliniogai

Tamaid y cythraul

Britheg y Gors ◀

Yn ymweld â blodau'r gwanwyn mewn lleoedd gwlyb. Byw mewn grwpiau. Nodwch yr adenydd gloyw. Lindysyn yn bwyta tamaid y cythraul a gwyddfid.
Rh.A. 42-48 mm

Llwynhidydd

Lindysyn

Britheg Glanville ▶

Llethrau glaswelltog ger y môr. Ceir yn unig ar arfordir deheuol Ynys Wyth. Lindysyn yn bwydo ar lwynhidyddion.
Rh.A. 41-45 mm

16

◀ **Britheg Frown**
Yn hoff iawn o flodau
ysgall. Mewn
coedwigoedd, lle gall
gysgu ar ganghennau
uchel ar ddyddiau
di-haul.
Lindysyn yn
bwydo ar ddail y fioled.
Rh.A. 60-68 mm

♀

Ysgall

♂

Peunog ▼
Yn gyffredin mewn gerddi.
Un o bum rhywogaeth
Brydeinig sy'n gaeafu, ar
ôl cyrraedd eu llawn dwf,
mewn ceubrennau,
siediau, ayyb. Lindysyn yn
bwyta danadl.
Rh.A. 62-68 mm

Peunog

Mae'r marciau yn debyg i'r
'llygaid' ar gynffon paun.

◄ Iâr Fach Dramor
Yn cyrraedd yn y
gwanwyn o ogledd
Affrica. Dodwy wyau ar
ysgall. Gwelir oedolion yn
yr hydref, ond
nid ydynt yn
goroesi'r gaeaf.
Rh.A. 62-65 mm

Mantell Goch

Iâr Fach
Dramor

Mantell Goch ►
Yn gyffredin mewn gerddi
ar lwyni iâr fach a blodau
Mihangel. Yn fewnfudwyr
o ogledd Affrica.
Lindysyn yn
bwydo ar
ddanadl.
Rh.A. 66-68 mm

Ysgallen

Iâr Fach
Amryliw

◄ Iâr Fach Amryliw
Yr enw'n cyfeirio at y
lliwiau amrywiol ar yr
adenydd. Yn ymweld â
llawer o flodau ac yn
gyffredin dros Brydain. Yn
hedfan o Ebrill
i Dachwedd.
Rh.A. 48-52 mm

Iâr Fawr Amryliw ▶
Prin. Yn hoff o flodau'r
fiaren. Yn gorwedd ar
ddail coed uchel ar
ymylon llwybrau a
choedwigoedd. Lindys yn
bwydo ar lwyfen
a'r helygen
grynddail fwyaf.
Rh.A. 62-66 mm

Mantell Alar

◀ Mantell Alar
Ymwelydd prin o wledydd
Llychlyn ac nid yw'n
magu ym Mhrydain. Mae
ymylon melyn yr adenydd
yn troi'n wyn wrth iddi
heneiddio. Ar fryniau ac
yn ymweld
â gerddi.
Rh.A. 70-73 mm

19

Britheg y Llygaeron
Mewn corsydd a mannau gwlyb. Dodwy wyau ar lygaeron, ac ar y rhain mae'r lindysyn yn bwydo.
Ni cheir ym Mhrydain.
Rh.A. 34-42 mm

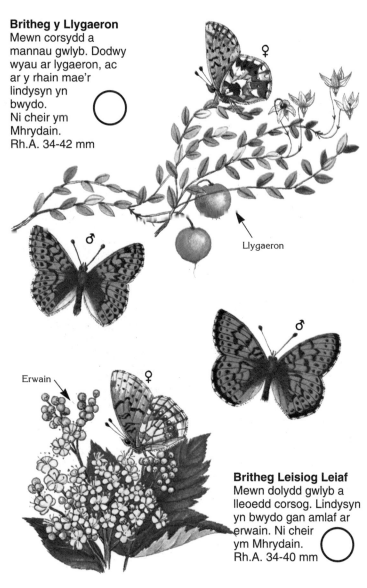

Llygaeron

Erwain

Britheg Leisiog Leiaf
Mewn dolydd gwlyb a lleoedd corsog. Lindysyn yn bwydo gan amlaf ar erwain. Ni cheir ym Mhrydain.
Rh.A. 34-40 mm

20

Adain Garpiog
Yn hawdd i'w hadnabod wrth ymylon carpiog yr adenydd a ffurf y llythyren 'c' o dan yr adenydd. Mewn coedwigoedd a gerddi.
Rh.A.
56-58 mm

Adain Garpiog

♀

♂

Adain Garpiog

Helygen

Yn llai nag ydynt mewn gwirionedd

Pan fydd adenydd y Foneddiges Borffor Leiaf yn dal y golau maent yn tywynnu'n borffor

Boneddiges Borffor Leiaf
Nid yw'n ymweld â blodau, ond mae'n yfed o byllau ac weithiau'n setlo ar anifeiliaid marw. Mewn coedwigoedd. Yn dodwy wyau ar y boplysen a'r helygen. Ni cheir ym Mhrydain.
Rh.A. 66-70 mm

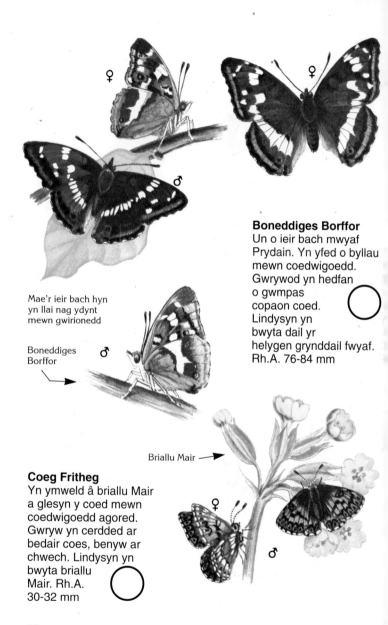

♀

♀

♂

Mae'r ieir bach hyn
yn llai nag ydynt
mewn gwirionedd

Boneddiges
Borffor

♂

Boneddiges Borffor
Un o ieir bach mwyaf
Prydain. Yn yfed o byllau
mewn coedwigoedd.
Gwrywod yn hedfan
o gwmpas
copaon coed.
Lindysyn yn
bwyta dail yr
helygen grynddail fwyaf.
Rh.A. 76-84 mm

Briallu Mair ➤

Coeg Fritheg
Yn ymweld â briallu Mair
a glesyn y coed mewn
coedwigoedd agored.
Gwryw yn cerdded ar
bedair coes, benyw ar
chwech. Lindysyn yn
bwyta briallu
Mair. Rh.A.
30-32 mm

♀

♂

22

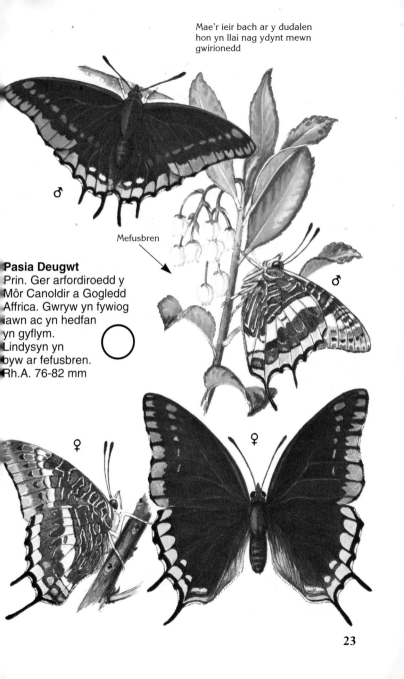

Mae'r ieir bach ar y dudalen hon yn llai nag ydynt mewn gwirionedd

Mefusbren

Pasia Deugwt
Prin. Ger arfordiroedd y
Môr Canoldir a Gogledd
Affrica. Gwryw yn fywiog
iawn ac yn hedfan
yn gyflym.
Lindysyn yn
byw ar fefusbren.
Rh.A. 76-82 mm

23

Glesyn Bach ▶
Iâr fach leiaf Prydain. Yr
oedolyn a'r lindysyn i'w
gweld ar y blucen felen.
Ceir mewn grwpiau ar
rosydd a
glaswelltir garw.
Rh.A. 20-28 mm

Plucen
felen

♀

♂

♀

◀ **Glesyn Idas**
Yn ymweld â phys y
ceirw a blodau eraill ar
lethrau mynyddoedd.
Lindysyn yn bwyta pys
y ceirw, ac yn
byw yn
ddiweddarach
mewn nythod morgrug.
Rh.A. 28-32 mm

♂

♂

♂

Pysen
y ceirw

Llygaero

Glesyn y Llygaeron ▶
Yr iâr fach a'r lindysyn ill
dau yn bwydo ar
lygaeron, sy'n tyfu ar
weundiroedd a chorsydd.
Ni cheir ym
Mhrydain.
Rh.A. 26-28 mm

♂

24

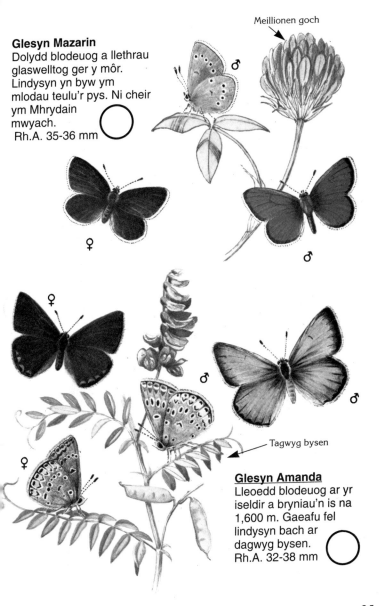

Glesyn Mazarin
Dolydd blodeuog a llethrau glaswelltog ger y môr. Lindysyn yn byw ym mlodau teulu'r pys. Ni cheir ym Mhrydain mwyach.
Rh.A. 35-36 mm

♂

Meillionen goch

♀

♂

♀

♂

♀

♂

Tagwyg bysen

Glesyn Amanda
Lleoedd blodeuog ar yr iseldir a bryniau'n is na 1,600 m. Gaeafu fel lindysyn bach ar dagwyg bysen.
Rh.A. 32-38 mm

Gwrmyn Glas

Yn hedfan fel arfer ar rosydd calchog a bryniau calchfaen ble mae'r cor-rosyn yn tyfu. Yn ymweld â blodau ar ddyddiau cynnes heulog. Hedfan yn gyflym.
Rh.A. 28-30 mm

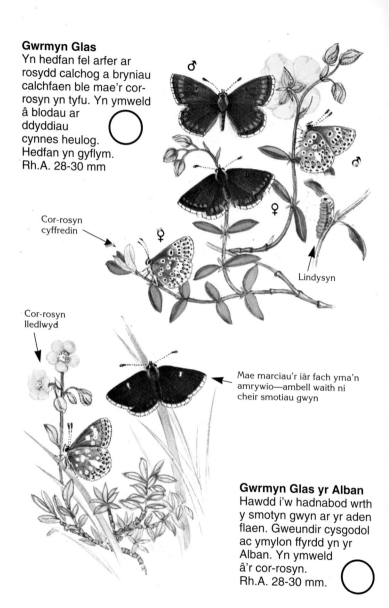

Cor-rosyn cyffredin

Lindysyn

Cor-rosyn lledlwyd

Mae marciau'r iâr fach yma'n amrywio—ambell waith ni cheir smotiau gwyn

Gwrmyn Glas yr Alban

Hawdd i'w hadnabod wrth y smotyn gwyn ar yr aden flaen. Gweundir cysgodol ac ymylon ffyrdd yn yr Alban. Yn ymweld â'r cor-rosyn.
Rh.A. 28-30 mm.

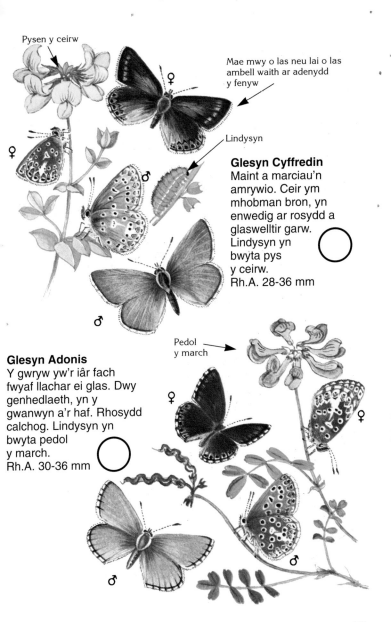

Pysen y ceirw

Mae mwy o las neu lai o las
ambell waith ar adenydd
y fenyw

♀

Lindysyn

Glesyn Cyffredin
Maint a marciau'n
amrywio. Ceir ym
mhobman bron, yn
enwedig ar rosydd a
glaswelltir garw.
Lindysyn yn
bwyta pys
y ceirw.
Rh.A. 28-36 mm

♀

♂

♂

Glesyn Adonis
Y gwryw yw'r iâr fach
fwyaf llachar ei glas. Dwy
genhedlaeth, yn y
gwanwyn a'r haf. Rhosydd
calchog. Lindysyn yn
bwyta pedol
y march.
Rh.A. 30-36 mm

Pedol
y march

♀

♀

♂

♂

27

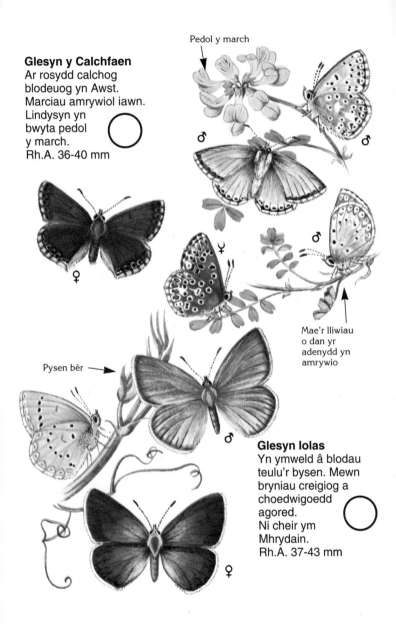

Glesyn y Calchfaen
Ar rosydd calchog
blodeuog yn Awst.
Marciau amrywiol iawn.
Lindysyn yn
bwyta pedol
y march.
Rh.A. 36-40 mm

Pedol y march

♂

♂

♀

♀

♂

Mae'r lliwiau
o dan yr
adenydd yn
amrywio

Pysen bêr →

♂

Glesyn Iolas
Yn ymweld â blodau
teulu'r bysen. Mewn
bryniau creigiog a
choedwigoedd
agored.
Ni cheir ym
Mhrydain.
Rh.A. 37-43 mm

♀

28

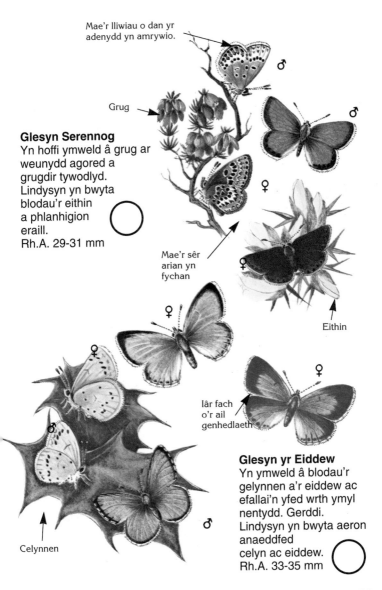

Mae'r lliwiau o dan yr
adenydd yn amrywio.

Grug

Glesyn Serennog
Yn hoffi ymweld â grug ar
weunydd agored a
grugdir tywodlyd.
Lindysyn yn bwyta
blodau'r eithin
a phlanhigion
eraill.
Rh.A. 29-31 mm

♂

♂

♀

Mae'r sêr
arian yn
fychan

♀

Eithin

♀

♀

Iâr fach
o'r ail
genhedlaeth

Celynnen

♂

♂

Glesyn yr Eiddew
Yn ymweld â blodau'r
gelynnen a'r eiddew ac
efallai'n yfed wrth ymyl
nentydd. Gerddi.
Lindysyn yn bwyta aeron
anaeddfed
celyn ac eiddew.
Rh.A. 33-35 mm

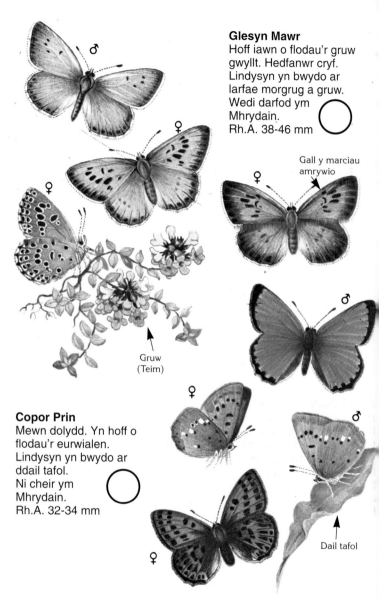

Glesyn Mawr
Hoff iawn o flodau'r gruw
gwyllt. Hedfanwr cryf.
Lindysyn yn bwydo ar
larfae morgrug a gruw.
Wedi darfod ym
Mhrydain.
Rh.A. 38-46 mm

Gall y marciau
amrywio

Gruw
(Teim)

Copor Prin
Mewn dolydd. Yn hoff o
flodau'r eurwialen.
Lindysyn yn bwydo ar
ddail tafol.
Ni cheir ym
Mhrydain.
Rh.A. 32-34 mm

Dail tafol

30

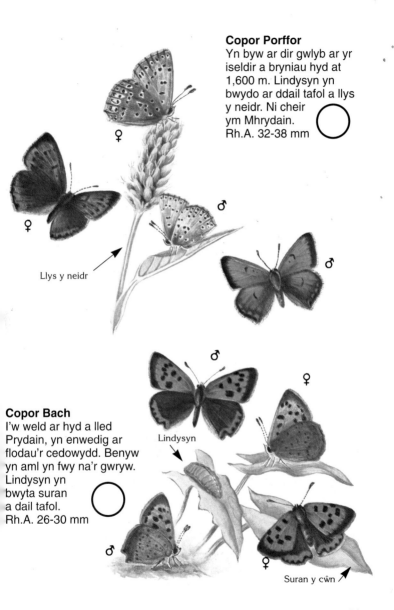

Copor Porffor

Yn byw ar dir gwlyb ar yr iseldir a bryniau hyd at 1,600 m. Lindysyn yn bwydo ar ddail tafol a llys y neidr. Ni cheir ym Mhrydain.
Rh.A. 32-38 mm

♀

♂

♂

Llys y neidr

Copor Bach

I'w weld ar hyd a lled Prydain, yn enwedig ar flodau'r cedowydd. Benyw yn aml yn fwy na'r gwryw. Lindysyn yn bwyta suran a dail tafol.
Rh.A. 26-30 mm

♂

♀

Lindysyn

♂

♀

Suran y cŵn

Brithribin Werdd
Anodd i'w gweld ar ddail
oherwydd yr isadenydd
gwyrdd. Eithaf cyffredin ar
rosydd, gweunydd, ymylon
coedwigoedd, lle mae eithin
a banadl
yn tyfu.
Rh.A. 31-34 mm

Eithin

Brithribin Frown
Iâr fach swil na welir hi
yn hedfan yn aml. Yn
gorwedd ar ddail y
ddraenen ddu yn Awst
a Medi. Ymylon
coedwigoedd
a pherthi.
Rh.A. 40-42 mm

Nodwch
y cynffonnau

Draenen ddu

Derwen

Brithribin Borffor
Hedfan o gwmpas
copa'r coed mewn
coedwigoedd deri mawr.
Yn gorwedd ar ddail
derw ac yn ymweld â
blodau mieri.
Lindysyn yn
bwyta dail
y dderwen.
Rh.A. 36-39 mm

Brithribin Ddu
Yn ymweld â blodau'r
pryfet a'r cwyros. Ceir
mewn ychydig leoedd
yng nghanolbarth Lloegr
yn unig. Lindysyn
yn bwyta'r
ddraenen ddu.
Rh.A.
36-37 mm

Draenen ddu

Brithribin Wen

Wedi'i henwi ar ôl y marc gwyn, fel llythyren 'w', ar yr isaden ôl. Yn aml yn gorwedd ar ddail llwyfen lydanddail. Coedwigoedd agored a llwybrau.
Rh.A. 34-35 mm

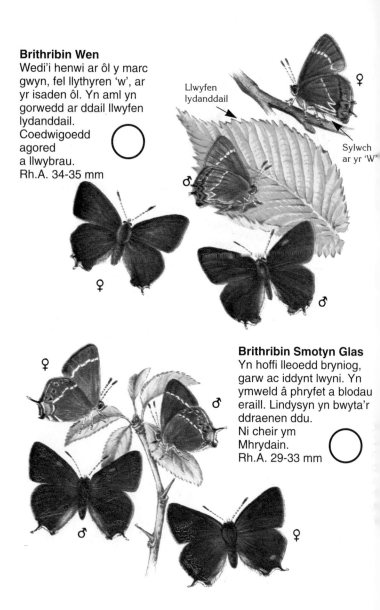

Llwyfen lydanddail

Sylwch ar yr 'W'

♀

♂

♀

♂

Brithribin Smotyn Glas

Yn hoffi lleoedd bryniog, garw ac iddynt lwyni. Yn ymweld â phryfet a blodau eraill. Lindysyn yn bwyta'r ddraenen ddu. Ni cheir ym Mhrydain.
Rh.A. 29-33 mm

♀

♂

♂

♀

Mae'r ieir bach yr haf sydd
ar y dudalen hon yn llai
nag ydynt mewn gwirionedd

Glöyn Cynffon Gwennol
Y fwyaf o'r ieir bach
Prydeinig. Ceir yn y
Broads yn Norfolk yn unig.
Lindysyn yn ddu yn ifanc,
ac yna'n datblygu
lliwiau llachar.
Yn bwyta pyglys.
Rh.A. 77-90 mm

♀

♂

Cynffon Gwennol y De
Ceir ar lethrau
mynyddoedd. Prin; ceir
ond mewn ychydig
leoedd yn Ewrop.
Ni cheir ym
Mhrydain.
Rh.A. 65-69 mm

Troed
y cyw

35

Cynffon Gwennol Brin
Ar yr iseldir a'r ucheldir, yn
aml ger perllannau. Yn
ymweld â blodau coed
ffrwythau. Lindysyn yn
bwyta'r eirinen a'r
ddraenen ddu.
Ni cheir ym
Mhrydain.
Rh.A. 70-84 mm

Eirinen

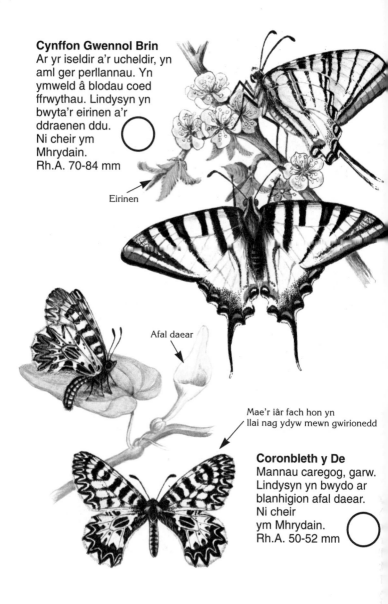

Afal daear

Mae'r iâr fach hon yn
llai nag ydyw mewn gwirionedd

Coronbleth y De
Mannau caregog, garw.
Lindysyn yn bwydo ar
blanhigion afal daear.
Ni cheir
ym Mhrydain.
Rh.A. 50-52 mm

Apolo
Yn byw ar fynyddoedd.
Yn ymweld â phlanhigion
Alpaidd, yn
enwedig
blodau'r friweg.
Ni cheir
ym Mhrydain.
Rh.A. 79-84 mm

Berwr Taliesin

Apolo Bach
Yn uchel yn y
mynyddoedd, yn aml ger
nentydd neu laswelltir
llaith. Yn ymweld â
blodau Alpaidd.
Ni cheir
ym Mhrydain.
Rh.A. 62-66 mm

Llwynau'r
fagwyr

37

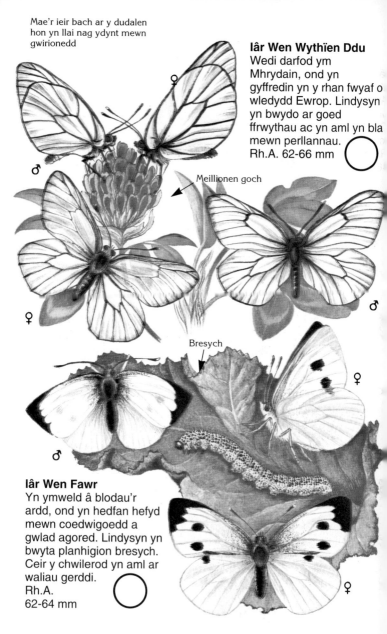

Mae'r ieir bach ar y dudalen hon yn llai nag ydynt mewn gwirionedd

Iâr Wen Wythïen Ddu
Wedi darfod ym Mhrydain, ond yn gyffredin yn y rhan fwyaf o wledydd Ewrop. Lindysyn yn bwydo ar goed ffrwythau ac yn aml yn bla mewn perllannau.
Rh.A. 62-66 mm

♂

Meillionen goch

♀

♂

Bresych

♀

♂

Iâr Wen Fawr
Yn ymweld â blodau'r ardd, ond yn hedfan hefyd mewn coedwigoedd a gwlad agored. Lindysyn yn bwyta planhigion bresych. Ceir y chwilerod yn aml ar waliau gerddi.
Rh.A.
62-64 mm

♀

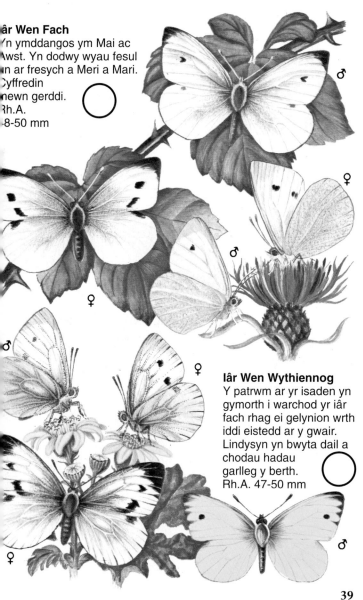

Iâr Wen Fach
Yn ymddangos ym Mai ac
Awst. Yn dodwy wyau fesul
un ar fresych a Meri a Mari.
Cyffredin
mewn gerddi.
Rh.A.
48-50 mm

Iâr Wen Wythiennog
Y patrwm ar yr isaden yn
gymorth i warchod yr iâr
fach rhag ei gelynion wrth
iddi eistedd ar y gwair.
Lindysyn yn bwyta dail a
chodau hadau
garlleg y berth.
Rh.A. 47-50 mm

39

Iâr Wen Frech
Ambell waith yn ymweld
â Phrydain, ond anaml
yn gwneud hynny mewn
niferoedd mawr. Yn hoff
o flodau'r feillionen a
melengu wyllt
ddisawr.
Rh.A. 48-52 mm

Melengu wyllt
ddisawr

Iâr Wen y Bannau
Dim ond i'w chanfod ar
lethrau glaswelltog yn
uchel yn y mynyddoedd.
Yn ymweld â melengu
wyllt ddisawr. Ni cheir ym
Mhrydain.
Rh.A. 44-52 mm

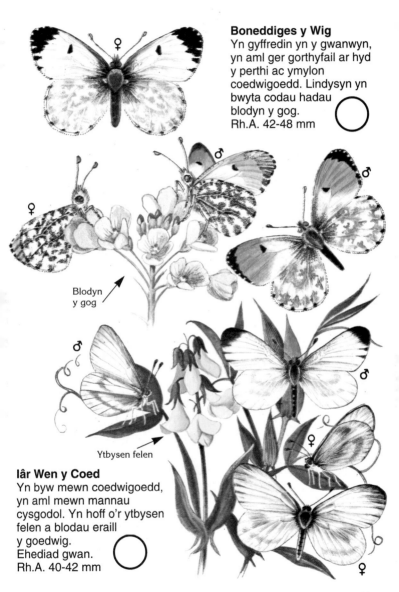

Boneddiges y Wig
Yn gyffredin yn y gwanwyn,
yn aml ger gorthyfail ar hyd
y perthi ac ymylon
coedwigoedd. Lindysyn yn
bwyta codau hadau
blodyn y gog.
Rh.A. 42-48 mm

Blodyn
y gog

Ytbysen felen

Iâr Wen y Coed
Yn byw mewn coedwigoedd,
yn aml mewn mannau
cysgodol. Yn hoff o'r ytbysen
felen a blodau eraill
y goedwig.
Ehediad gwan.
Rh.A. 40-42 mm

Iâr Felen Welw
Ymwelydd prin â Phrydain
o Affrica. Yn hoffi meillion
a maglys rhuddlas.
Ni all y lindysyn
oroesi ein
gaeafau llaith.
Rh.A. 52-54 mm

Meillionen
wyrgam

Meillionen
goch

Iâr Fach Felen
Yn cyrraedd yma yn y
gwanwyn o'r Môr
Canoldir. Dodwy wyau ar
feillion a maglys rhuddlas.
Ail genhedlaeth yn yr
hydref, ond nid yw'r ieir
bach yn goroesi
ein gaeaf ni.
Rh.A. 58-62 mm

Mae lliw'r fenyw yn amrywio

42

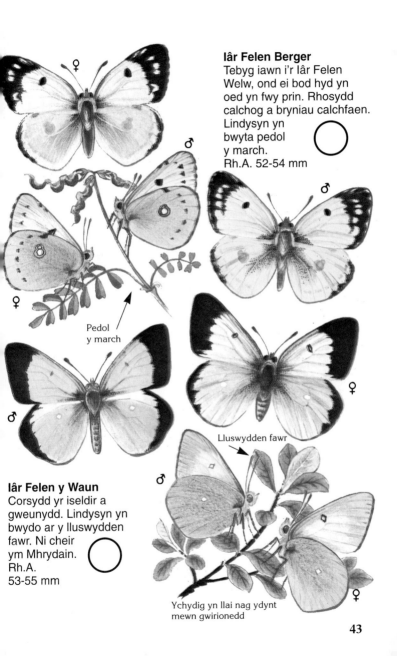

Iâr Felen Berger
Tebyg iawn i'r Iâr Felen
Welw, ond ei bod hyd yn
oed yn fwy prin. Rhosydd
calchog a bryniau calchfaen.
Lindysyn yn
bwyta pedol
y march.
Rh.A. 52-54 mm

Pedol
y march

Lluswydden fawr

Iâr Felen y Waun
Corsydd yr iseldir a
gweunydd. Lindysyn yn
bwydo ar y lluswydden
fawr. Ni cheir
ym Mhrydain.
Rh.A.
53-55 mm

Ychydig yn llai nag ydynt
mewn gwirionedd

43

Mae'r ieir bach ar y dudalen hon ychydig
yn llai nag ydynt mewn gwirionedd

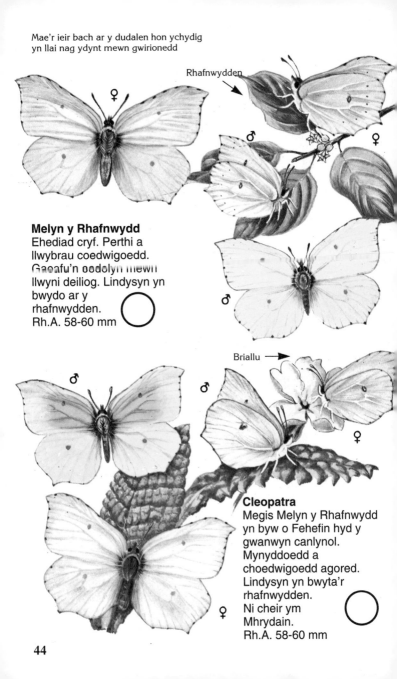

Rhafnwydden

♀

♂

♀

Melyn y Rhafnwydd
Ehediad cryf. Perthi a
llwybrau coedwigoedd.
Gaeafu'n oedolyn mewn
llwyni deiliog. Lindysyn yn
bwydo ar y
rhafnwydden.
Rh.A. 58-60 mm

♂

Briallu ➤

♂

♂

♀

Cleopatra
Megis Melyn y Rhafnwydd
yn byw o Fehefin hyd y
gwanwyn canlynol.
Mynyddoedd a
choedwigoedd agored.
Lindysyn yn bwyta'r
rhafnwydden.
Ni cheir ym
Mhrydain.
Rh.A. 58-60 mm

♀

44

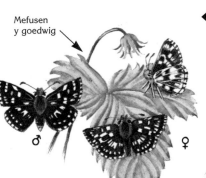

Mefusen y goedwig

♂ ♀

◄ Gwibiwr Brith
Fel y gwibwyr i gyd, mae iddo ehediad tonnog. Mannau glaswelltog, blodeuog. Lindys yn bwyta mefusen y goedwig. ◯
Rh.A. 27-28 mm

Saets Caersalem

♂ ♀

Gwibiwr Brith Mawr ►
Yn ymweld â blodau'r tir diffaith. Hedfan o Ebrill i Fai. Lindysyn yn bwyta'r cor-rosyn a'r pumbys. Ni cheir ym Mhrydain. ◯
Rh.A. 29-31 mm

Pysen y ceirw

◄ Gwibiwr Llwyd
Yn edrych yn debycach i wyfyn tywyll. Yn gwibio o gwmpas ymhlith blodau glesyn y coed ac eidral. Ceir ar dir agored, a llwybrau mewn coedwigoedd. ◯
Rh.A. 28-29 mm

Gwibiwr y Coed ▶
Yn fwy llachar na'r
gwibwyr eraill. Yn hoffi
glesyn y coed, ac yn
torheulo ar weiriau mewn
coedwigoedd.
Lindysyn yn
bwyta pawrwellt.
Prin.
Rh.A. 27-29 mm

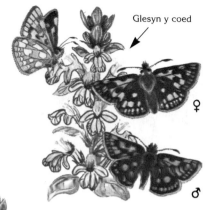

Glesyn y coed

♀

♂

Glesyn y coed

◀ Gwibiwr Coed y Gogledd
Yn ymweld â glesyn y coed
a blodau eraill y gwanwyn
mewn coedwigoedd a
glaswelltir. Lindysyn yn
bwyta gweiriau.
Ni cheir
ym Mhrydain.
Rh.A. 27-29 mm

Gwibiwr Mawr y Coed ▶
Yn hoffi dolydd llaith yn
llawn o flodau, a llwybrau
cysgodol mewn
coedwigoedd. Yn aml yn
gorwedd ar weiriau.
Ni cheir ym Mhrydain.
Rh.A. 32-36 mm

♂

♀

Breichwellt
y coed

◀ Gwibiwr Bach Cornddu

Tebyg iawn i'r Gwibiwr Bach, ond bod o dan blaen yr antenae yn ddu, nid brown. Yn ymweld ag ysgall ar dir garw. Rh.A. 26-27 mm

Ysgallen gyffredin

Gwibiwr Bach ▶

'n fwy cyffredin na'r Gwibiwr Bach Cornddu. 'n ymweld â blodau newn caeau glaswelltog ng nghefn gwlad a ger y môr. Lindysyn n bwyta weiriau. Rh.A. 28-29 mm

Gweiriau

◀ Gwibiwr Lulworth

Darganfuwyd gyntaf ger Cilfach Lulworth yn Dorset. Yn hedfan ger arfordir Dorset a Dyfnaint yn unig. Yn gorwedd â'r adenydd bron wedi agor, neu'n agored. Rh.A. 23-26 mm

Gwibiwr Mawr
Y Gwibiwr mwyaf
cyffredin. Yn ymweld â
blodau mieri ac ysgall ar
lwybrau glaswelltog a
choedwigoedd
agored.
Yn hedfan
o Fehefin hyd Awst.
Rh.A. 30-32 mm

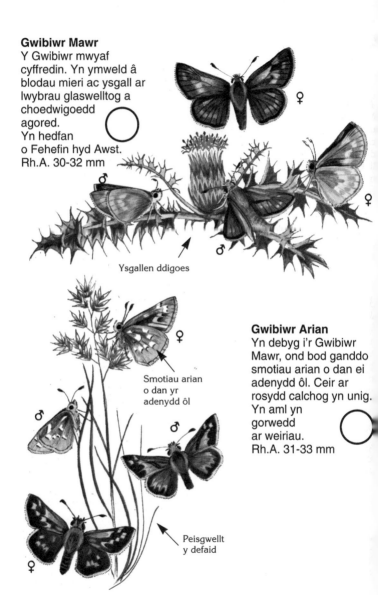

Ysgallen ddigoes

Smotiau arian
o dan yr
adenydd ôl

Gwibiwr Arian
Yn debyg i'r Gwibiwr
Mawr, ond bod ganddo
smotiau arian o dan ei
adenydd ôl. Ceir ar
rosydd calchog yn unig.
Yn aml yn
gorwedd
ar weiriau.
Rh.A. 31-33 mm

Peisgwellt
y defaid

O'r Wy i Iâr Fach yr Haf

Ffurf nodweddiadol wyau

1

Mae ieir bach yn dodwy wyau fesul un, fesul dau neu dri, neu mewn un clwstwr mawr. Mae'r mwyafrif yn eu dodwy ar y planhigyn y bydd y lindysyn yn bwydo arno. Fel arfer mae'r wyau'n deor o fewn dyddiau neu wythnosau.

2

Pan fydd y lindysyn, neu larfa, yn deor, mae'n bwydo ar ei blanhigyn bwyd. Mae'r mwyafrif yn bwyta'r dail. Mae'r lindysyn yn taflu ei groen sawl gwaith wrth dyfu. Mae llawer o ieir bach yn gaeafu fel larfae.

3

Wedi cyrraedd ei lawn faint, mae'r lindysyn yn rhoi'r gorau i fwyta ac yn troi'n chwiler, neu bwpa. Mae'r mwyafrif o'r chwilerod yn glynu wrth goesau planhigion ag edau ludiog, naill ai'n unionsyth neu'n hongian i lawr.

4

Mae'r iâr fach yn datblygu y tu mewn i'r chwiler. Pan mae'n barod i ymddangos, mae'n torri allan o groen y chwiler ac yn gorffwys am awr neu ddwy tra bo'r adenydd yn ymestyn ac yn caledu.

5

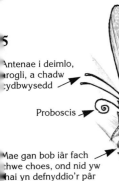

Antenae i deimlo, arogli, a chadw cydbwysedd

Proboscis

Mae gan bob iâr fach chwe choes, ond nid yw rhai yn defnyddio'r pâr cyntaf

Adenydd fel arfer wedi cau wrth orffwys ac yn agored wrth fwydo

Adenydd wedi'u cuddio â chen bychain sy'n gorgyffwrdd fel llechi to ar dŷ

Mae'r mwyafrif o ieir bach yr haf Ewrop yn hedfan rywbryd rhwng Ebrill a Hydref. Maent yn bwydo ar neithdar y blodau.

49

Gwneud Gardd ar gyfer Ieir Bach yr Haf

Os oes gennych ardd, fe allwch dyfu blodau sy'n denu ieir bach yr haf. Mae ieir bach yn ymweld â blodau i fwydo ar neithdar, hylif melys y maent yn ei sugno drwy dafod hir tebyg i diwb a elwir yn broboscis. Gwelir rhai o'r blodau mae'r ieir bach yn eu hoffi yn y darlun isod.

Ceisiwch blannu cymysgedd o flodau'r gwanwyn a'r haf, er mwyn denu amrywiaeth o ieir bach i'ch gardd Cadwch gofnodion o ba ieir bach welwch bob mis, faint o'r u rhywogaeth a welwch, a pha floda maent yn ymweld â nhw. Gwnewc ddarluniau ohonynt hefyd. Fe sylwc yn fuan pa flodau sy'n ffefrynnau ga y gwahanol fathau o ieir bach, on mae rhai blodau fel llwyn iâr fach fflocs a blodyn Mihangel yn den

Llwyn iâr fach

Mantell Alar

Blodyn y fagwyr

Fflocs

Swllt dyn tlawd

Roced yr ardd

Melyn y Rhafnwydd

Peunog

Obrisia

Iâr Fach Amryliw

Alysum

llawer o wahanol rywogaethau, felly maent yn blanhigion da i'w plannu yn eich gardd.

Mae rhai ieir bach yn hoffi bwydo ar flodau gwyllt, ac mae llawer yn gorffwys ar weiriau ac felly, os oes lle gennych, gadewch i'r rhain dyfu, neu casglwch hadau yng nghefn gwlad i'w plannu gartref.

Gall clwt o ddanadl ddenu ieir bach megis yr Iâr Fach Amryliw, Peunog a'r Fantell Goch i ddodwy wyau yno. Wedi i'r lindys ddeor maent yn bwydo ar y danadl.

Peidiwch â defnyddio llysleiddiaid gwenwynig ar eich blodau gan eu bod nhw'n gallu lladd ieir bach.

Mantell Wen

Mwyaren ddu

Adain Garpiog

Blodyn Mihangel

Gwair hir

Mantell Goch

Britheg Frown

Ysgallen

Danadl

Pengaled

Meillionen

Iâr Fach Felen

Llygad y dydd

51

Cadw Ieir Bach yr Haf

Casglu wyau

Chwiliwch am wyau ieir bach o tua Ebrill i Awst. Edrychwch ar ddail, stemiau a gweiriau, a chofiwch wisgo menig i drafod danadl. Gafaelwch yn dyner yn yr wyau, a rhowch nhw mewn jar debyg i'r un isod ar ddarn o'r planhigyn lle y daethoch chi ar eu traws. Cedwch y jar mewn lle claear. Edrychwch ar yr wyau bob dydd. Pan fyddant bron yn barod i ddeor byddant yn troi o fod yn felyn gwelw i lwyd. Pan fydd y lindys bach yn deor, rhan o fasgl yr wy fydd eu pryd cyntaf ond ar ôl awr neu ddwy byddant yn symud i ffwrdd o'r masgl ac fe fydd angen arnynt ddail ffres o'u planhigyn bwyd. Pan ddigwydd hyn dylech osod gorchudd mwslin yn lle'r caead ar y jar.

Lindys bychain

Os ydych am ddechrau eich casgliad â lindys bychain, yn hytrach na wyau, dylech dorri'r darn planhigyn cawsoch nhw arno a'i roi mewn jar neu focs plastig wedi'i orchuddio â mwslin.

Bydd angen dail ffres o'u planhigyn bwyd ar y lindys bach bob dydd. Gadewch yr hen ddail yn y jar nes bydd y lindys wedi symud at y rhai newydd. Peidiwch â cheisio symud y lindys eich hunan.

Mae'r rhan fwyaf o lindys yn bwrw eu croen tua phedair gwaith wrth ddyfu. Wedi'r newid cyntaf, dylech symud y lindys i jar fwy, tebyg i'r un a ddangosir ar y dudalen nesaf.

Caead sgriw heb dyllau

Gorchudd mwslin

Cordyn

Jariau jam gwydr

Clwstwr o wyau ar ddanadl

Lindys ifanc

Lindys hŷn

Cyn gynted ag y bydd y lindys wedi tyfu ychydig, symudwch nhw'n ofalus i jar fwy yr ydych wedi ei pharatoi ar eu cyfer. Symudwch nhw o'r jar ar flaen brws paent a gosodwch nhw ar eu planhigyn bwyd. Rhowch ddarnau ffres i mewn bob dydd neu eilddydd, ond caewch geg y pot dŵr â gwlân cotwm, neu fe allai'r lindys syrthio i mewn a boddi.

Mae rhai ieir bach Prydain yn gaeafu fel lindys. Os bydd eich lindys yn llonyddu ac yn rhoi'r gorau i fwyta, gadewch lonydd i'r jar tan tua mis Mawrth y flwyddyn ganlynol.

Yna cadwch lygad dyddiol arnynt a chyn gynted ag y bydd y lindys yn dechrau symud eto, rhowch ddarnau ffres o'u planhigyn bwyd iddynt. Wedi ychydig wythnosau byddant yn newid i chwilerod—ar frigyn, ar y clawr neu ochr y jar, neu yn y pridd. Mae rhai ieir bach yn gaeafu fel chwilerod. Wrth i'r chwilerod ddatblygu chwistrellwch nhw bob hyn a hyn â dŵr rhag iddynt sychu a marw. Wedi i'r ieir bach ymddangos tynnwch y gorchudd mwslin i ffwrdd fel eu bod nhw'n medru hedfan i ffwrdd cyn gynted ag y bydd eu hadenydd wedi ymestyn a sychu.

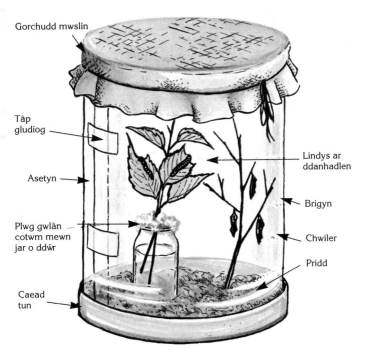

Gorchudd mwslin

Tâp gludiog

Asetyn

Plwg gwlân cotwm mewn jar o ddŵr

Caead tun

Lindys ar ddanhadlen

Brigyn

Chwiler

Pridd

Cwestiynau am y Goedwig

Nid yw un o'r ieir bach hyn yn perthyn i'r goedwig. A wyddoch chi pa un ydyw? Mae'r ateb wyneb i waered ar waelod y dudalen.

Boneddiges Borffor

Iâr Wen y Coed

Glesyn yr Eiddew

Britheg Berlog Fach

Brych y Coed

Iâr Fach Dramor

Iâr Fach Dramor

54

Mae siapiau gwahanol iawn i bob un o'r ieir bach hyn.

Ysgrifennwch enw pob un ar y llinell oddi tani. Dyma'r dewis: Brithribin Frown, Peunog, Melyn y Rhafnwydd, Pasia Deugwt, Adain Garpiog, Cynffon Gwennol Brin. Mae'r atebion wyneb i waered ar waelod y dudalen.

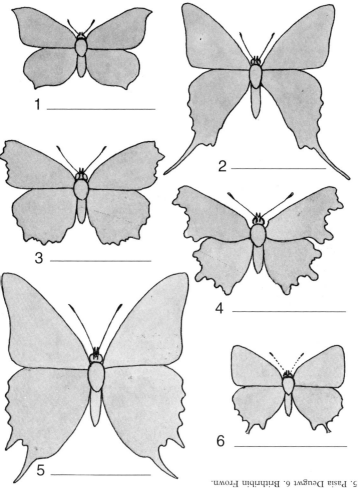

1 _____

2 _____

3 _____

4 _____

5 _____

6 _____

1. Melyn y Rhafnwydd 2. Cynffon Gwennol Brin 3. Peunog 4. Adain Garpiog 5. Pasia Deugwt 6. Brithribin Frown.

55

Ble mae Ieir Bach yn Dodwy Wyau?

Cysylltwch yr ieir bach â'r planhigion y maent yn dodwy arnynt. Ar y llinell wrth ymyl pob iâr fach, ysgrifennwch y llythyren sy'n perthyn i'r planhigyn sydd orau ganddi. Mae'r atebion wyneb i waered ar waelod y dudalen gyferbyn.

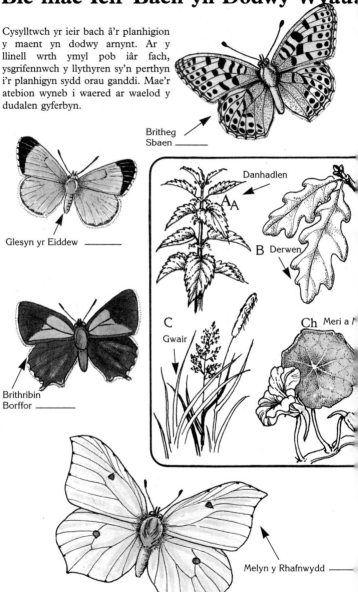

Britheg Sbaen _____

Glesyn yr Eiddew _____

Brithribin Borffor _____

Danhadlen

A A

B Derwen

C Gwair

Ch Meri a f

Melyn y Rhafnwydd _____

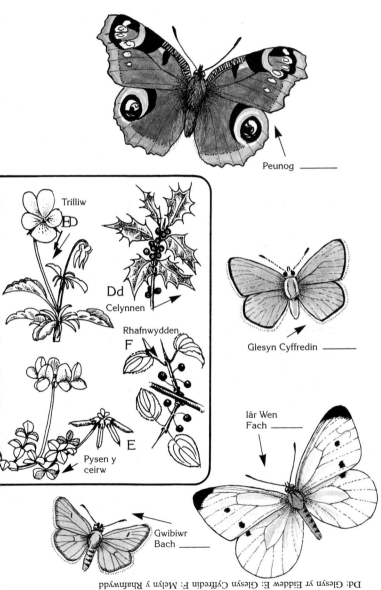

Peunog ———

Trilliw

Dd
Celynnen

Rhafnwydden

F

E

Pysen y
ceirw

Glesyn Cyffredin ———

Iâr Wen
Fach ———

Gwibiwr
Bach ———

A: Peunog B: Brithribin Borffor C: Gwibiwr Bach Ch: Iâr Wen Fach D: Britheg Sbaen
Dd: Glesyn yr Eiddew E: Glesyn Cyffredin F: Melyn y Rhafnwydd

57

P'run yw P'run?

Mae'r darluniau ar y dudalen hon yn dangos chwe iâr fach â'u hadenydd wedi cau. Gwelir yr un ieir bach ar y dudalen gyferbyn â'u hadenydd yn agored. Ond p'run yw p'run? Rhowch rif iâr fach â'i hadenydd yn agored wrth ochr y llythyren o dan yr un iâr fach â'i hadenydd wedi cau sy'n cyfateb iddi. Mae'r atebion wyneb i waered ar waelod y dudalen gyferbyn. Gallwch liwio'r darluniau hefyd.

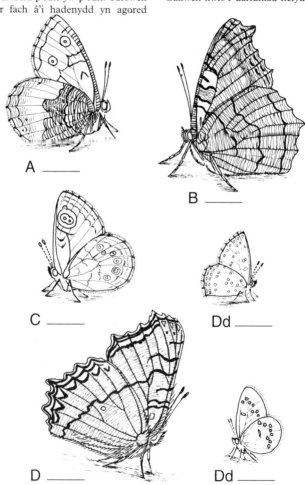

A _____

B _____

C _____

Dd _____

D _____

Dd _____

58

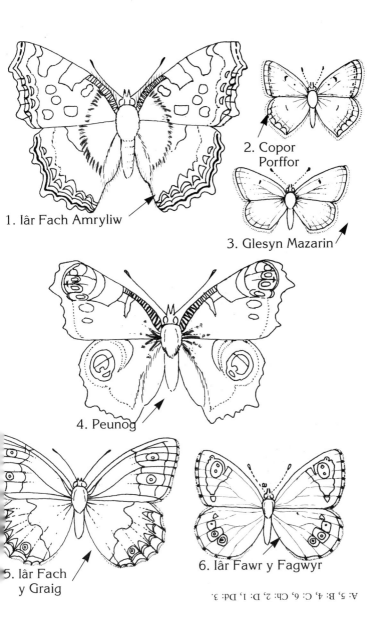

1. Iâr Fach Amryliw

2. Copor Porffor

3. Glesyn Mazarin

4. Peunog

5. Iâr Fach y Graig

6. Iâr Fawr y Fagwyr

A: 5, B: 4, C: 6, Ch: 2, D: 1, Dd: 3.

59

Geirfa

Antena (ll. antenae)—mae gan bob iâr fach ddau antena ar flaen y pen ac fe'u defnyddir i deimlo ac i arogli. (S. *antenna*)

Bwrw croen—pan fydd lindysyn yn taflu ei groen er mwyn tyfu. (S. *moult*)

Cuddliw—pan mae lliwiau a siâp iâr fach, lindysyn neu chwiler yn cydweddu â'u cefndir ac yn ei gwneud hi'n anodd i'w gweld. (S. *camouflage*)

Cytref—nifer o ieir bach neu lindys o'r un math yn byw gyda'i gilydd. (S. *colony*)

Gaeafgysgu—pan mae iâr fach, lindysyn neu chwiler yn treulio'r gaeaf yn cysgu. (S. *hibernate*)

Larfa—mae'r larfa, neu lindysyn (S. *caterpillar*) yn deor o wy iâr fach yr haf.

Mudo—taith rhai ieir bach o un wlad i wlad arall. Mae rhai ieir bach yn mudo dros bellter mawr. (S. *migration*)

Mudwr—iâr fach yr hai sy'n hedfan o un wlad i un arall, fel Iâr Fawr America, sy'n hedfan o Ogledd America i ymweld â Phrydain. (S. *migrant*)

Neithdar—hylif melys a geir yn y rhan fwyaf o flodau. Mae ieir bach yn ei yfed. (S. *nectar*)

Proboscis—tafod hir iâr fach sydd fel tiwb ac a ddefnyddir i sugno neithdar. (S. *proboscis*)

Pwpa (ll. pwpae)—wedi i'r larfa gyrraedd ei lawn faint mae'n newid i bwpa, neu chwiler (S. *chrysalis*). Mae'r iâr fach yn datblygu y tu mewn i'r pwpa. (S. *pupa*)

Mynegai

Taflen Sgorio

Mae'r ieir bach ar y daflen sgorio hon yn yr un drefn ag y maent yn y llyfr. Pan fyddwch yn gwylio, llenwch y dyddiad ar dop y colofnau gwag, ac wedyn ysgrifennwch eich sgôr yn y golofn honno, wrth ochr pob iâr fach a welwch. Ar ddiwedd y dydd, cyfrwch eich sgôr a rhowch yr is-gyfanswm ar waelod y golofn. Wedyn cyfrwch eich cyfanswm.

Tud.	Iâr Fach yr Haf	Sgôr	Dydd-iad	Dydd-iad	Dydd-iad	Tud.	Iâr Fach yr Haf	Sgôr			
5	Iâr Fawr America	25				14	Britheg Arian	15			
6	Iâr Fach y Fagwyr	10				15	Britheg Ddulas	25			
6	Iâr Fawr y Fagwyr	25				15	Britheg Niobe	25			
7	Modrwyog y Mynydd	20				15	Cardinal	25			
7	Modrwyog yr Alban	20				16	Britheg y Waun	25			
8	Brych y Coed	15				16	Britheg y Gors	20			
8	Gwrmyn Arran	20				16	Britheg Glanville	25			
9	Iâr Fach y Graig	15				17	Britheg Frown	15			
9	Iâr Fawr y Graig	25				17	Peunog	5			
10	Iâr Fach Gleisiog	15				18	Iâr Fach Dramor	15			
10	Iâr Fawr y Glaw	25				18	Mantell Goch	10			
11	Gwrmyn y Ddôl	5				18	Iâr Fach Amryliw	5			
11	Iâr Fach y Glaw	10				19	Iâr Fawr Amryliw	25			
11	Gweundir Bach	5				19	Mantell Alar	25			
12	Porthor	10				20	Britheg y Llygaeron	25			
12	Gweundir Mawr	20				20	Britheg Leisiog Leiaf	25			
13	Britheg Sbaen	25				21	Adain Garpiog	15			
13	Britheg Berlog Fach	15				21	Boneddiges Borffor Leiaf	25			
13	Britheg Berlog	15				22	Boneddiges Borffor	25			
14	Britheg Werdd	10				22	Coeg Fritheg	15			
	Is-gyfanswm						Is-gyfanswm				

Tud.	Iâr Fach yr Haf	Sgôr				Tud.	Iâr Fach yr Haf	Sgôr			
23	Pasia Deugwt	25				34	Brithribin Smotyn Glas	25			
24	Glesyn Bach	15				35	Glöyn Cynffon Gwennol	25			
24	Glesyn Idas	25				35	Cynffon Gwennol y De	25			
24	Glesyn y Llygaeron	25				36	Cynffon Gwennol Brin	25			
25	Glesyn Mazarin	25				36	Coronbleth y De	25			
25	Glesyn Amanda	25				37	Apolo	25			
26	Gwrmyn Glas	15				37	Apolo Bach	25			
26	Gwrmyn Glas yr Alban	25				38	Iâr Wen Wythïen Ddu	25			
27	Glesyn Cyffredin	5				38	Iâr Wen Fawr	5			
27	Glesyn Adonis	20				39	Iâr Wen Fach	5			
28	Glesyn y Calchfaen	15				39	Iâr Wen Wythiennog	5			
28	Glesyn Iolas	25				40	Iâr Wen Frech	25			
29	Glesyn Serennog	15				40	Iâr Wen y Bannau	25			
29	Glesyn yr Eiddew	10				41	Boneddiges y Wig	10			
30	Copor Prin	25				41	Iâr Wen y Coed	20			
31	Copor Porffor	25				42	Iâr Felen Welw	25			
31	Copor Bach	10				42	Iâr Fach Felen	20			
32	Brithribin Werdd	10				43	Iâr Felen Berger	25			
32	Brithribin Frown	20				43	Iâr Felen y Waun	25			
33	Brithribin Borffor	15				44	Melyn y Rhafnwydd	10			
33	Brithribin Ddu	25				44	Cleopatra	25			
34	Brithribin Wen	15				45	Gwibiwr Brith	15			
						45	Gwibiwr Brith	25			
	Is-gyfanswm						Is-gyfanswm				

Tud.	Iâr Fach yr Haf	Sgôr				Tud.	Iâr Fach yr Haf	Sgôr			
45	Gwibiwr Llwyd	10									
46	Gwibiwr y Coed	25									
46	Gwibiwr Coed y Gogledd	25									
46	Gwibiwr Mawr y Coed	25									
47	Gwibiwr Bach Cornddu	20									
47	Gwibiwr Bach	10									
47	Gwibiwr Lulworth	20									
48	Gwibiwr Mawr	10									
48	Gwibiwr Arian	20									
	Is-gyfanswm						Is-gyfanswm				
							Cyfanswm				